Beltz & Gelberg Taschenbuch 218

Sam!
Best wishes
for all you do.
P.

Peter Härtling, geboren 1933 in Chemnitz, lebt in Walldorf/Hessen. Er veröffentlichte Lyrik, Erzählungen, Romane, Essays. Im Programm Beltz & Gelberg sind bisher erschienen: *Das war der Hirbel*, *Oma*, *Theo haut ab*, *Ben liebt Anna*, *Sofie macht Geschichten*, *Alter John*, *Jakob hinter der blauen Tür*, *Und das ist die ganze Familie*, *Krücke*, *Geschichten für Kinder*, *Fränze*, *Mit Clara sind wir sechs*, das »Erzählbuch« (Peter-Härtling-Lesebuch), *Lena auf dem Dach*, *Jette*, *Tante Tilli macht Theater* und *Reise gegen den Wind*. Neben anderen Literaturpreisen erhielt Peter Härtling den Deutschen Jugendbuchpreis (1976) und den Zürcher Kinderbuchpreis »La vache qui lit« (1980). Für sein Gesamtwerk wurde er mit dem Deutschen Bücherpreis ausgezeichnet.

Peter Härtling

Das war der Hirbel

Wie der Hirbel ins Heim kam,
warum er anders ist als andere
und ob ihm zu helfen ist

Mit einem Nachwort

Zu *Das war der Hirbel* gibt es ein Lehrerbegleitheft,
erhältlich beim
Beltz Medien Service, Postfach 10 05 65, 69445 Weinheim
ISBN 3 407 99069 3

www.beltz.de
Beltz & Gelberg Taschenbuch 218

Neue Rechtschreibung
Einbandgestaltung: Max Bartholl
Einbandbild: Eva Muggenthaler
Gesamtherstellung: Druckhaus Beltz, Hemsbach
Printed in Germany
ISBN 3 407 78218 7
9 10 11 12 13 08 07 06 05 04

Inhalt

Das ist der Hirbel

Der Hirbel ist der Schlimmste von allen, sagten die Kinder im Heim. Das war nicht wahr. Doch die Kinder verstanden den Hirbel nicht. Sie hielten sich ohnehin nie lange auf in dem Heim, einem Haus am Rande der Stadt, in das Kinder gebracht wurden, die herumstreunten, Kinder, mit denen ihre Eltern nicht mehr zurechtkamen, die von ihren Müttern verstoßen wurden, die bei Pflegeeltern waren und nicht ›gut taten‹ – es war ein Durchgangsheim. Von dort wurde man in andere Heime geschickt.

Den Hirbel wollte niemand, deshalb war er schon Stammgast in dem Haus am Rande der Stadt. Er war neun Jahre alt und so groß wie ein Sechsjähriger. Er hatte einen dicken Kopf mit dünnen blonden Haaren, die er nie kämmte, und einen mageren Leib. Trotzdem fürchteten alle seine Kraft. Beim Raufen siegte er immer.

Der Hirbel hatte eine Krankheit, die niemand richtig verstand. Als er geboren wurde, musste der Arzt ihn mit einer Zange aus dem Leib der Mutter holen und er hatte ihn dabei verletzt. Von da an hatte er Kopfschmerzen und die Großen behaupteten, er sei nicht bei Vernunft. Seine Mutter wollte ihn nicht haben. Seinen Vater hatte er nie gesehen. Erst ist er bei Pflegeeltern gewesen, die ihn, das sagte er selber, sehr gern hatten. Aber bei denen konnte er nicht bleiben, weil die Nachbarn seine Streiche fürchteten. Er ist auch immer kränker geworden; sein Kopf tat ihm entsetzlich weh und dann überfiel ihn eine große Wut, in der er sich nicht mehr kannte. Die Pflegeeltern brachten ihn in ein Krankenhaus, dort lag er eine Weile, bekam eine Menge Spritzen und Tabletten und wurde dann bei neuen Pflegeeltern untergebracht, die ihn nicht mochten und im Heim ablieferten.

Manchmal wurde er von seiner Mutter besucht, die auf die anderen Kinder einen ungeheuren Eindruck machte. Sie war fett, ihr Gesicht war phantastisch bemalt, sie trug bei jedem Besuch einen hohen Hut, an dem funkelnde Steine steckten und den das älteste Mädchen, Edith, einen Turban nannte. Hirbel wurde jedes Mal zornig, wenn sie den Turban ›Turban‹ nannte. Er fand das Wort gemein und mit dem Wort beleidigte Edith seine Mutter.

Die Mutter brachte ihm riesige Tüten mit Bonbons und Schokolade, umarmte ihn unaufhörlich, schnaufte und weinte und verließ ihn nach einer Viertelstunde, beteuernd, dass sie bald wiederkomme. Aber erst nach einem Vierteljahr war sie wieder da, mit Bonbons und Schokolade. Der Hirbel wartete die ganze Zeit ungeduldig auf sie.

Die Ärzte, die ihn untersucht hatten, behaupteten, der

Hirbel ist unheilbar. Seine Kopfschmerzen würden immer ärger werden. Er wird, wenn er größer ist, für immer in ein Krankenhaus müssen. So weit war es noch nicht. Dem Hirbel war es auch egal. Er glaubte nicht daran.

In dem Heim arbeiteten Fräulein Maier und Fräulein Müller. Die Kinder riefen beide Müller-Maier. Das war einfacher und eine von den beiden war immer zur Stelle. Fräulein Müller war schon ziemlich alt, grauhaarig und sehr streng. Fräulein Maier arbeitete nur eine Weile im Heim. Sie war sehr jung und versuchte, mit den Kindern zu reden. Aber die Kinder misstrauten ihr. Vielleicht war ihre Freundlichkeit nur Tücke.

Fräulein Maier hatte den Hirbel besonders gern. Der Hirbel mochte sie lange Zeit nicht. Er konnte gar nicht einsehen, warum sie so freundlich zu ihm war. Sie hatte entdeckt, dass er schön singen konnte, und wenn sie im Chor sangen, durfte er manchmal vor den anderen allein singen. Das ärgerte ihn auch wieder, weil die Jungen sagten, er habe eine Stimme wie ein Mädchen. Seine Stimme war hoch, ganz rein. Er konnte nicht lesen und nicht schreiben, aber wenn man ihm eine Melodie vorsang, merkte er sich die Melodie schon beim ersten Mal.

Müller-Maier erklärten: Das ist wirklich eine tolle Begabung! Was die Begabung nannten, war ihm Wurst. Er weigerte sich oft zu singen. Eigentlich sang er nur, wenn er Lust dazu hatte. Dann saß er auf dem höchsten Ast des Apfelbaumes im Garten, unter ihm jammerten Müller-Maier: Du wirst dir das Genick brechen!, und er ließ den Ast gewaltig wippen, damit sie noch mehr jammerten, und sang alle Lieder, die er kannte.

Das ist noch keine Geschichte. Die erste Geschichte von Hirbel berichtet, wie Fräulein Maier, die noch nie in einem solchen Heim gewesen war, den Hirbel kennen lernte, so kennen lernte, dass sie am liebsten wieder davongelaufen wäre.

Hirbels Hose

Die Jungen zwischen sechs und zehn schliefen in einem Saal, der so groß war wie ein Wartesaal in einem kleinen Bahnhof. Die Betten standen eng nebeneinander. Es war nicht viel Platz zum Hin- und Herrennen, darum tobten die Jungen auf den Betten, sprangen über die kleinen Gräben, hüllten sich in die Leintücher, warfen mit den Kissen. Jeden Abend war das so. Am Morgen nicht, denn da mussten sie früh aufstehen, sich waschen und waren alle noch müde. Am Abend war der Krach im Schlafsaal unglaublich. Jeder brüllte, was seine Kehle hergab.

Fräulein Müller sagte zu Fräulein Maier, ehe diese zum ersten Mal in den Schlafsaal der Jungen ging: Es ist am besten, Sie versuchen gar nicht erst, etwas zu sagen, bei dem Lärm hört doch keiner was. Geben Sie mit den Händen Zeichen.

Schon auf dem Gang vor dem Saal schlug der Neuen der Höllenlärm entgegen. Sie hatte Angst. Als sie in das Zimmer trat, wirbelten alle Buben durcheinander. Sie achteten gar nicht auf sie. Sie machte, wie Fräulein Müller es ihr geraten hatte, mit den Händen Zeichen, zeigte auf die Betten, legte die Hände an die Backen, was heißen sollte: Ihr müsst jetzt schlafen! Doch keiner achtete auf sie. Sie versuchte, gegen den Krach anzubrüllen. Keiner hörte sie. Da begann sie zu lachen und das fiel den Jungen auf.

Ein paar stellten sich um sie herum, schauten ihr beim Lachen zu und fragten am Ende: Warum lachst du?

Fräulein Maier sagte: Weil das alles komisch ist. Ihr seid ja verrückt.

Georg, der Älteste im Zimmer, er war schon fast ein halber Mann und größer als Fräulein Maier, sagte: Wir machen das jeden Abend so. Wir haben noch keine Lust zum Schlafen.

Der Krach legte sich. Fräulein Maier sagte: Ich habe nichts dagegen, wenn ihr das jeden Abend macht, nur möchte ich mitmachen und irgendwann müsst ihr ruhig sein, damit die Kleinen schlafen können. Die sind schon ziemlich müde.

Jetzt war es still im Saal, nur eine Stimme heulte noch gewaltig aus irgendeiner Ecke.

Fräulein Maier fragte: Wer ist das?

Georg sagte: Das ist der Hirbel, der spinnt.

Sie schaute sich im ganzen Zimmer um, doch sie konnte den schreienden Hirbel nicht entdecken.

Heißt er wirklich Hirbel?, fragte sie Georg.

Ich glaube, eigentlich heißt er Karlotto, aber Hirbel hieß er schon, ehe er zu uns kam. Ich weiß nicht, warum. Aber er sieht so aus, wie er heißt.

Der Schrei hörte nicht auf. Hirbel musste einen endlosen Atem haben.

Wo ist der Hirbel?, fragte sie.

Georg sagte: Der sitzt im Schrank. Das ist sein Haus. Wir dürfen nicht in sein Haus. Er beißt, schlägt und kratzt.

Dann lassen wir ihn noch eine Weile dort, in seinem Haus, sagte Fräulein Maier.

Georg fragte: Wie heißt du?

Sie sagte: Maier. Worauf einer rief: Wie Müller. Ein anderer rief: Müller-Maier. Nun hatten die beiden Frauen ihren Namen.

Sie bat die Kinder, sich die Zähne zu putzen. Die meisten taten es auch. Sie gingen in den Waschraum. Einige blieben zurück, taten nichts dergleichen, legten sich aufs Bett, blätterten in Comics und anderen Zeitschriften und schauten sie nicht an.

Der Hirbel schrie noch immer. Sie ging zum Schrank, aus dem das Gebrüll drang, und sie öffnete, als säße ein wildes Tier dahinter, vorsichtig die Tür. Die Tür quietschte. Im Schrank saß ein dünner Bub mit großem Kopf, der rot war vom Schreien. Er starrte sie an. Die blonden Haare standen ihm zu Berge.

Sie sagte: Du bist also der Hirbel.

Er brüllte weiter. Sie wusste noch nicht, wie alt er war, und schätzte ihn auf fünf oder sechs Jahre. Fräulein

Müller sagte ihr nachher: Alle meinen, er ist erst sechs Jahre alt, in Wirklichkeit ist er fast zehn. Er ist wahnsinnig kräftig. Ich hätte Sie warnen müssen vor ihm.

Müller-Maier anguckend, schrie Hirbel unverdrossen weiter. Er war nackt. In seinen Händen hielt er zusammengeknüllt seine Unterhose wie einen Ball. Müller-Maier sagte eine Weile nichts. Die Jungen, die zurückgeblieben waren, sahen dem erwartungsvoll zu. Hirbel nahm den Schrei allmählich zurück und mit einem Male begann er zu singen: ›Die blauen Dragoner, sie reiten‹. Er sang rein, sehr schön, und Müller-Maier war völlig durcheinander. Er regte sich nicht, hockte, die zusammengeknüllte Unterhose gegen die Brust gedrückt, und sang.

Müller-Maier wartete und wünschte sich, dass er bald aufhöre, obwohl sein Singen sie beeindruckte. Er dachte nicht daran aufzuhören. Zaghaft fragte sie Hirbel: Willst du nicht auch schlafen, wie die anderen?, und setzte noch hinzu: Die Zähne brauchst du dir ja gar nicht zu putzen.

Er blickte sie weiter prüfend an und hörte mit dem Singen nicht auf. Sie wollte sich schon abwenden, fortgehen, als Hirbel jäh aufstand, auf die zusammengeknüllte Unterhose pinkelte und ihr das nasse Zeug ins Gesicht warf.

Müller-Maier ekelte sich, doch sie blieb stehen. Sie standen sich nun gegenüber: der winzige, dünne Junge mit dem rot angelaufenen großen Kopf und Müller-Maier, die Angst vor dem Zwerg hatte.

Sie sagte: Das war eine Sauerei eben.

Da begann er wild zu lachen, sein ganzer Leib schüttelte sich vor Gelächter. Er sagte: Aber ich habe gut getroffen. Nach jedem Wort machte er eine Pause. Er sprach mühsam, nur wenn er sang, fielen ihm die Wörter leicht.

Kannst du dir nichts anderes einfallen lassen?, fragte Müller-Maier.

Hirbel schüttelte den Kopf.

Gehst du jetzt schlafen?, fragte sie ihn.

Er kam aus dem Schrank heraus, ging an ihr vorüber, ohne sie anzusehen, und setzte sich auf sein Bett.

Die andere Jungen flüsterten sich unaufhörlich was zu. Sie erzählten sich gegenseitig, wie Hirbel der Müller-Maier die voll gepinkelte Unterhose ins Gesicht geschmissen hatte.

Müller-Maier fragte, ob sie das Licht ausmachen dürfe. Der große Georg sagte: Ja. Sie machte die Tür zum Schlafsaal zu.

Sie lehnte sich an die Wand und war müde wie nie zuvor. Zu Fräulein Müller sagte sie: So fertig war ich noch nie.

Fräulein Müller sagte: Ja, der Hirbel kann einen fertig machen.

Sie dachte sich: Auf den Hirbel werde ich aufpassen.

Hirbels Kampf mit den Schafen

Solche Heime wie das, in dem Hirbel länger blieb als andere Kinder, sind von Städten eingerichtet, damit Kinder, die aus Waisenhäusern abgehauen sind, die von ihren Eltern oder Pflegeeltern schlecht behandelt wurden, die gar keine Eltern haben und streunen, für eine Zeit lang Unterkunft haben. Dort werden sie von Ärzten untersucht, von Psychologen ausgefragt – also von Leuten, die erfahren wollen, warum die Kinder mit anderen Leuten nicht umgehen können, warum sie immer zornig sind, warum sie immer weinen. Und am Ende entscheidet man, ob sie zu neuen Pflegeeltern, in ein Heim oder in eine Klinik kommen.

Beim Hirbel konnte man sich nicht so recht entscheiden, denn er war kränker als alle anderen Kinder und er war, wie die Leute sagten, ›einfach nicht gut zu haben‹. Im Grunde war Hirbel von allen ausgestoßen. Wahrscheinlich verstand er das nicht, aber er zeigte sehr deutlich, dass er die Leute, die mit Mühe heuchelten oder vortäuschten, nett zu sein, überhaupt nicht mochte. Der einzige Mensch, den er sehr gern hatte, war seine Mutter und die kümmerte sich nicht um ihn. Es war nicht herauszukriegen, wo sie lebte und was sie tat. Zu den Besuchen tauchte sie von irgendwoher auf.

Ein wenig schloss er sich auch Fräulein Maier an. Aber er blieb misstrauisch. Es gelang ihm immer wieder, sich von Gruppen, die spazieren gingen, zu entfernen. Dann schrien alle, sobald sie es bemerkt hatten: Der Hirbel ist ausgerissen! Das geschah mindestens einmal in der Woche. So waren die Leute im Heim fortwährend auf der Suche nach Hirbel. Weil sie ihn gern hatten, riefen sie die Polizei nicht an, denn dann hätten sie Hirbel in ein ›geschlossenes Heim‹ geben müssen. Das wollten sie nicht.

Einer seiner Ausreißversuche endete bei den Schafen. Von diesem Abenteuer erzählte er sogar, was er sonst nicht tat. Da er nicht ganze Sätze reden konnte, sondern nur Wörter – und Flüche –, hatte er keine Lust, viel zu erzählen. Das Erlebnis mit den Schafen war für ihn so überwältigend, dass er mit einem Mal in Sätzen reden konnte.

Müller-Maier hatten mit ein paar Mädchen und ein paar Jungen einen Ausflug gemacht, auf die Hügel in der Nähe der Stadt. Dort war es schön, dort konnte man Verstecken spielen, herumrennen und auf Städte und Dörfer hinuntergucken. Der große Georg war, wie immer, der Anführer. Er gebärdete sich toll. Auch Müller-Maier mussten ihm folgen. Sie taten es gern, da Georg geschickt war und sich auf den Hügeln auskannte. Sie versteckten sich, der große Georg war kaum zu finden, die Suche dauerte lang, aber nach einer Weile fehlte nur noch einer: der Hirbel.

Man durchsuchte alles: die kleinen Erdhöhlen, hohle Bäume, sie suchten unter Büschen und schauten auf jeden Baum hinauf, da Hirbel phantastisch klettern konnte. Er war nicht mehr da. Also war der Hirbel wieder einmal abgehauen.

Fräulein Müller ging mit den meisten Kindern zurück ins Heim, Fräulein Maier, der große Georg und ein paar andere Jungen suchten nach Hirbel. Sie riefen, sie schwärmten aus, sie durchsuchten noch einmal die ganze Gegend – keine Spur von Hirbel. Als es dunkel wurde, brachen sie die Suche ab.

Eigentlich hätten Müller-Maier jetzt der Direktorin des Heimes Bescheid sagen müssen. Sie taten es nicht. Sie hofften, der Hirbel würde von allein wiederkommen. Oder jemand würde ihn bringen. Sie hatten große Angst um ihn. In der Nacht blieben Müller-Maier wach und fuhren jedes Mal hoch, wenn ein Auto die Straße entlangkam. Keines hielt an, niemand klingelte und sagte: Hier ist ein Junge, der wohl zu Ihnen gehört.

Der Hirbel trug um den Hals, wie die anderen Kinder, eine Schnur, an der ein Schild befestigt war. Auf dem Schild stand sein Name und die Adresse des Heimes.

Am nächsten Tag, die Heimkinder saßen gerade beim Mittagessen, wurden Müller-Maier nach draußen gerufen. In der Tür stand ein alter, bärtiger Mann, der trug den Hirbel auf seinen Armen, als wäre er eine Feder. Der Hirbel war ganz blass und zitterte, obwohl es warm war.

Der alte Mann sagte lächelnd: Der Bursche gehört doch zu Ihnen, nicht wahr? Das ist wohl ein Kerl! Der hat mir meine ganze Herde durcheinander gebracht.

Während er das sagte, streichelte er dem Hirbel über den Kopf. So schlimm musste es mit der Herde doch nicht gewesen sein. Er stellte den Jungen vor sich hin und sagte: Du kannst mich ja mal besuchen kommen.

Eines der älteren Mädchen nahm Hirbel mit in den Speisesaal. Müller-Maier baten den Schäfer ins Haus und er erzählte Hirbels Geschichte, die Hirbel dann anders erzählte. Auf den Hügeln um die Stadt herum gibt es noch ein paar Schafherden, nicht mehr viele, und über eine der Herden wacht der Schäfer. Seine Herde ist auch die, die das Gras auf dem Flughafen fressen darf. Der Schäfer sagt dazu: Wir sind eine natürliche Mähmaschine. Er sei, erzählte der Schäfer, am Abend vor seinem Karren gesessen – bei dem schönen Wetter! Es sei ihm aufgefallen, dass die Hunde sich unruhig gebärdeten. Die Schafe seien ruhig geblieben. Aber dann!, rief er. Plötzlich wogte die Herde hin und her. Es kam mir vor, als säße ich am Meer oder an einem großen See und sähe Wellen vor mir. Immer hin und her. Die Hunde bellten wie verrückt. Aber sie trauten sich nicht in die Herde hinein! Sie können sich denken, dass mir angst und bange wurde. Ich dachte zuerst, ein Fuchs ist in die Herde eingebrochen oder ein streunender Hund. Aber da hätten meine Hunde anders reagiert. Die hatten ja Angst.

Ich ging zur Herde und suchte nach dem Grund ihrer Unruhe. Ich fand ihn lange nicht. Immer wieder musste ich mit meinen Schafen hin- und herrennen. Die Lämmer blökten und waren außer sich. Mir kam es so vor, als sei in alle ein böser Geist gefahren und als wären alle krank. Oder als müsste im nächsten Moment ein Gewitter niedergehen, da führen die Schafen sich ähnlich auf. Ich sah nichts. So versuchte ich in die Mitte der Herde hineinzukommen. Fortwährend wurde ich umgerissen. Meine Schafe taten so, als würden sie mich nicht mehr kennen. Es wurde dunkel. Ich fand nichts. Ich ging wieder zu meinem Karren, setzte mich hin und sah dem merkwürdigen Schauspiel zu. Allmählich wurden die Schafe ruhiger, die Hunde hörten auf zu bellen. Weil es mir zu dumm war, weiter zu grübeln, was denn los ist, ging ich schlafen. In der Nacht wachte ich ein-, zweimal auf, weil meine Schafe wieder verrückt waren. Am Morgen wollten wir weiterziehen. Ich pfiff den Hunden, sie trieben die Herde vor sich her. Da sah ich den Burschen. Mitten unter den Schafen! Mit einem großen, schwarzen Hut und einem zerfetzten Mantel, den er hinter sich herschleppte, weil er ihm viel zu lang war. Eine wandernde

Vogelscheuche. Ich packte den Kerl. Sie können sich denken, ich hatte eine Sauwut. Aber das Büble starrte mich selig an und sagte immer wieder: Lauter Löwen, lauter Löwen! Ich sagte zu ihm: Du bist ja blöd, das sind Schafe. Der hat noch nie Schafe gesehen. Ich fand das Schildchen und da sind wir. Tun Sie ihm nichts. Er ist lieb. Er konnte ja nichts dafür. Wenn er noch nie Schafe gesehen hat. Das sind halt die Stadtkinder.

Wochen später kriegte Hirbel seine Geschichte heraus. Fräulein Maier hörte zufällig zu, wie er sie Renate, einem Mädchen, das er ein bisschen schätzte, erzählte: Da bin ich fort. Immer runtergerannt. Da war hohes Gras. Und ein böser Mann. Vor dem habe ich Angst gehabt. Aber er hat nix getan. Er war aus Holz. Dem sein' Hut habe ich geklaut. Dem seine Jacke auch. Und bin weg. Es war wie Afrika. Es war in Afrika. Und eine Wüste, wo die Löwen sind. Und die Löwen sind gekommen. Hundert Millionen. Alle zusammen. Mit Hunden. Auch ein Spitz. Die haben mich angeschnuppert. Die waren gut zu mir. Lauter gute Löwen. Es war richtig schön. Mit den Löwen habe ich geschlafen.

Niemand konnte Hirbel ausreden, es seien keine Löwen gewesen, sondern Schafe. Darauf antwortete er störrisch: Schafe gibt's nicht. Aber Löwen.

Was um Hirbel herum ist und was in ihm sein könnte

Das Durchgangsheim ist von der Stadt eingerichtet. In ihm arbeiten neben der Direktorin, die den Hirbel mag, Fräulein Maier, die den Hirbel besonders mag, und Fräulein Müller, der der Hirbel gleichgültig ist; außerdem ein junger Mann, der von der Universität kommt und noch lernt; eine Krankenschwester, die dafür sorgt, dass alle Kinder ihre Mittel und Spritzen zur rechten Zeit bekommen; eine ältere Frau, die für die Direktorin die Briefe schreibt und über jedes Kind eine Karte anlegt, auf der alles steht, was Fräulein Maier oder Fräulein Müller wissen müssen; schließlich der Herr Schoppenstecher und seine Frau, die den Hirbel ganz gewiss nicht mögen – und jeden Tag kommt der Doktor vorbei. Das Heim steht in einem großen Garten am Rande der Stadt. Es war früher wahrscheinlich die Villa von sehr reichen Leuten, die dreißig Zimmer brauchten, um wie reiche Leute leben zu können. Der Schlafsaal für die Jungen ist früher das Musikzimmer, der Schlafsaal für die Mädchen der Salon gewesen, sagt Fräulein Maier. Das Haus hat ein großes Portal mit einer sehr hohen Holztür, die schwer aufzukriegen ist. Die Kinder, die die Tür zum ersten Mal sehen, haben Angst, denn sie wissen nicht, was sie in dem Heim erwartet.

Hinter der Tür befindet sich eine ziemlich große und durch beide Stockwerke gehende Halle. Die Neuankömmlinge werden dort von der Direktorin empfangen. Sie ist groß, dünn, hat weiße glatte Haare und Augen, die eigentlich immer lachen. Ihre Stimme klingt wie die eines Mannes, so dunkel.

Von der Halle führt eine breite Holztreppe hinauf ins erste Stockwerk, wo die Schlafsäle sind. Im zweiten Stockwerk haben die Direktorin, Fräulein Maier und Fräulein Müller ihre Zimmer. Dort wird verwaltet. Als der Hirbel zum ersten Mal über die Schwelle trat und in der Halle stand, hatte er Angst und dachte, dass dies wohl ein Schloss sein muss. Wenn er redete, hallte seine Stimme.

Das fand er lustig. Später sang er in der Halle und das hörte sich schön an. Er tat es gern. Weil Hirbel aber schon in vielen Kliniken und Häusern gewesen war, überwand er rasch seine Angst und war schon am zweiten Tag mit dem Haus vertraut. Er kannte alle Zimmer und wusste genau, dass das Souterrain, wo Schoppenstechers wohnten, gefährlich war, richtiges Feindesland, das man besser ausließ.

In den Schlafsälen standen eiserne Betten, die in der Nacht, wenn man sich herumdrehte, knirschten und krachten. An der Querwand der Säle waren Schränke, in denen jedes Kind sein Fach hatte. Die Schränke waren auch dazu da, dass Hirbel sich in ihnen versteckte oder Abende lang in ihnen wohnte.

Um halb sieben mussten die Kinder aufstehen und in die Waschräume gehen. Müller-Maier achteten darauf, dass sie sich auch das Gesicht, die Hände und die Füße nass machten und die Zähne putzten. Zähne mussten am Abend und am Morgen geputzt werden. Das fand Hirbel scheußlich. Allerdings hatten sie eine Zahnpasta, die angenehm nach Lakritz schmeckte.

Die Mädchen hatten ihren eigenen Waschraum. Da ging der Hirbel manchmal hinein, wenn sich die Mädchen wuschen, nackig vor den Waschbecken standen. Sie kreischten, wenn er die Tür aufriss. Er hatte schon eine Menge nackiger Mädchen gesehen, in den Kliniken und bei den Pflegeeltern, und er fand sie alle blöd.

Am Vormittag wurden die Kinder in Gruppen aufgeteilt. Müller-Maier und der junge Mann spielten mit ihnen und machten Aufgaben mit den Kindern, die in die Schule mussten. Es waren aber nicht viele und sie hatten es in der Schule nicht gut. Sie wurden von den ›richtigen Schulkindern‹ ausgelacht, gehänselt, geschlagen und es wurde ihnen nachgerufen: Heimkinder! Heimkinder!

Im Parterre neben der großen Halle war der Speisesaal mit großen Fenstern zum Garten, in dem immer viel Licht war und den der Hirbel sehr gern hatte. Hier ist der König gewesen, sagte er zu Fräulein Maier.

Fräulein Maier sagte: Wenn du es meinst, dann schon.

Sie saßen an vier langen Tischen, die von der Direktorin, von Müller-Maier und von dem jungen Mann ›befehligt‹ wurden. Nach dem Mittagessen herrschte Ruhe. Zwei Stunden lang. Sie mussten sich auf die Betten legen, aber nicht unbedingt schlafen. Der Hirbel schlief immer. Er war müde vom Vormittag. Am Nachmittag wurde im Freien gespielt, wenn gutes Wetter war, oder es wurden Ausflüge gemacht. Bei schlechtem Wetter machten sie Spiele im Speisesaal oder bastelten. Das konnte der Hirbel nicht leiden. Beim Basteln machten seine Finger nicht richtig mit.

Du bist arg ungeschickt, sagte Fräulein Müller zu ihm.

So verging jeder Tag. Der Hirbel hatte sich daran gewöhnt und er richtete sich nach dem Tageslauf ein. Außerdem war doch jeder Tag anders als der vorhergehende, das war ihm klar.

Nur der große Georg kümmerte sich um den Hirbel. Richtige Freunde hatte er nicht. Die Kinder fürchteten seinen Jähzorn, seine Launen, das, was Fräulein Maier ›seine Anfälle‹ nannte. Darum zog er sich oft in den Schrank zurück, in irgendeine Ecke des Speisesaals oder kletterte auf den Apfelbaum im Garten, wo er sein Nest hatte. Das verteidigte er gegen alle, die hinaufzukommen versuchten. Er schüttelte sie von den Ästen und jauchzte, wenn sie sich wehtaten.

Manchmal verprügelten ihn die Jungen, aber er war, so dünn er aussah, kräftig und wendig und hatte im Laufe der Jahre gelernt, sich mit Geschick durchzusetzen. Er war ein guter Boxer. Seine Schläge kamen schnell und hart. Selbst der große Georg fürchtete sie.

Einen Vierzehnjährigen, der Pinsel gerufen wurde, weil ihm seine Haare immer fettig zu Berge standen, und der überhaupt aussah wie ein Pinsel, schlug der Hirbel im Kampf nieder. Sie hatten sich während eines Ausflugs um einen schönen Holzstock gestritten und der Pinsel hatte ihm den Stock einfach aus der Hand gerissen. Der Hirbel war ihm nachgerannt, hatte geschrien: Jetzt kämpfen wir, und der Pinsel hatte sich zum Kampf gestellt. Der dauerte nicht lange. Hirbel schlug einfach, die Augen geschlossen, mit kleinen, festen Fäusten trommelnd auf Pinsel ein. Der kam gar nicht dazu zurückzuschlagen. Eine Faust traf ihn am Hals und er fiel um. Der Hirbel war so verdattert und eingeschüchtert über seinen Erfolg, dass er davonrannte und erst am Abend wieder ins Heim geschlichen kam.

Er fragte Fräulein Maier, ob der Pinsel tot ist.

Fräulein Maier sagte, er lebe noch, aber es sei nicht richtig, auf den Hals zu schlagen.

Das habe er nicht gewollt, auf den Hals, sagte Hirbel. Lieber ins Gesicht.

Auch nicht ins Gesicht, sagte Fräulein Maier.

Wohin denn dann?, fragte Hirbel.

Gar nicht, sagte Fräulein Maier.

Aber wo er mein Feind ist und mir Stöcke klaut?, sagte Hirbel.

Da zuckte Fräulein Maier mit den Schultern. Ich weiß auch nicht, Hirbel.

Um sieben Uhr, nach dem Abendessen, gingen die Kinder in die Schlafräume, um acht wurde das Licht gelöscht. Da saß der Hirbel meist im Schrank. Obwohl er Medikamente bekam, von denen der Arzt sagte: Die helfen dir beim Schlafen, konnte der Hirbel nie einschlafen. Im Schrank fühlte er sich wohl, führte Selbstgespräche oder sang so laut, dass die anderen eine Wut bekamen. Sie rührten ihn jedoch nicht an.

Um neun oder zehn kam der Hirbel aus dem Schrank – die anderen Kinder schliefen alle schon – und legte sich ins Bett. Manchmal brauchte er bis zwölf, um einzuschlafen, weil der Kopf ihm so wehtat oder weil er über Sachen nachdenken musste, die ihn quälten, die ihm Furcht einflößten, die er nicht begriff. Fräulein Maier, die das wusste, setzte sich manchmal zu ihm und erzählte ihm von Kindern, die auch krank gewesen waren und denen es jetzt besser ging.

Niemand, Fräulein Maier nicht und die Direktorin nicht, wusste, was der Hirbel dachte und wer er eigentlich war. Im Grunde war er ein Fremdling. Er war krank, er konnte sich nicht ordentlich ausdrücken, er tat eine Menge Sachen, die alle durcheinander brachten oder aufregten. Der Doktor hatte Begriffe für Hirbels Krankheit, aber die waren keine Hilfe, denn sie konnten einem nicht erklären, was in ihm steckte. Für alle war seine schöne Stimme ein großes Wunder. Deshalb sagten auch Menschen, und selbst Herr Kunz in der Kirche: Etwas ist in dem Kind, was gut ist.

Was aber ist gut? Nur eine schöne Stimme? Oder weil der Hirbel, wenn er singen muss, zehn Minuten still stehen kann? Oder weil er glücklich ist, wenn ihm Fräulein Maier über die Backe streichelt? Oder weil er sich freut, wenn die Direktorin seinen Fleiß beim Holzeinsammeln lobt? Ist der große Georg gut, der dauernd lügt und, wenn er einen Hass hat, ins Bett pinkelt? Oder ist die Edith gut, die, wenn die Direktorin in der Nähe ist, lieb lächelt, die Teller vom Tisch wegräumt und blöd rumsäuselt und am Nachmittag in einer Gartenecke den Jungen die Hose runterzieht?

Der Hirbel weiß nicht, was gut ist. Der Hirbel weiß jedoch, wenn er traurig ist, wer ihm wehtut, wer ihn gern hat. Er freut sich, wenn er hier bleiben kann, wo er sich wohl fühlt. Er weiß, wann er wegrennen muss. Und der Hirbel meint, dass das eine Menge wert ist. Nur verstehen das die Erwachsenen nicht. Sie sagen dauernd: Du bist bös, und selten sagen sie: Du bist gut. Ihm ist das egal.

Hirbels Kampf gegen Herrn Schoppenstecher

Am meisten fürchtete Hirbel Herrn Winkler vom Jugendamt. Der bestimmte über ihn. Jedes Mal, wenn er auftauchte, änderte Herr Winkler sein Leben. Wenn Herr Winkler kam, wurde alles anders und eigentlich immer schlimmer. Herr Winkler behauptete: Ich kümmere mich um dich.

Aber kümmerte sich Herr Winkler wirklich um ihn? Herr Winkler war wie ein Gepäckträger und das Gepäck war der Hirbel.

Am meisten hasste Hirbel Herrn Schoppenstecher. Herr Schoppenstecher war der Hausmeister des Heims. Er sorgte, so sagte er, für Zucht und Ordnung. Was die Erzieherinnen nicht können, das bringe ich schon hin, schrie Herr Schoppenstecher manchmal. Herr Schoppenstecher war klein, unmäßig dick und hatte eine blaue Nase vom Mosttrinken. Seine Frau putzte das Haus, Herr Schoppenstecher heizte, mähte das Gras im Garten, reparierte kaputte Becken und Wasserleitungen. Ihr macht alles kaputt, ihr Teufel!, schrie er. Warum er den Hirbel nicht ausstehen konnte, war nicht zu verstehen. Denn der Hirbel wich Herrn Schoppenstecher in der ersten Zeit voller Angst aus. Ihn ängstigte das Gebrüll des dicken Mannes und er hatte zugesehen, wie er einmal ein Mädchen aus dem Schlafsaal B verhauen hatte. Dem wollte er nicht unter die Hände kommen, dem nicht! Hirbel hatte schon eine Menge Prügel bekommen. Er konnte vergleichen, wer arg zuschlug und wer nur so tat. Herr Schoppenstecher hatte eine böse, harte Hand und den Hirbel auf dem Kieker. Wann immer eine Platte im Vorraum lose war, eine Türklinke locker, erklärte Herr Schoppenstecher: Das war der Hirbel, dieser Schwachkopf, dieser Depp, obwohl es der Hirbel nicht gewesen war.

Hirbel wusste, dass es zu einem Zusammenstoß zwischen ihm und dem Herrn Schoppenstecher kommen würde. Müller-Maier achteten jedoch darauf, dass er nie allein mit Herrn Schoppenstecher zusammen war. Sie passten auf. Auch die Frau Direktorin passte auf.

Herr Schoppenstecher kannte Hirbels Vorliebe für den Apfelbaum im Garten. Dem großen Georg, der ihm oft helfen musste, kündigte er an: Dem Sauhund säg ich noch mal seinen Ast ab. Georg warnte Hirbel. Dem aber war es schon egal. Er hatte seinen Kampf gegen Herrn Schoppenstecher begonnen.

Das erste Gefecht gelang ihm nicht.

Die Schoppenstechers wohnten im Souterrain; es führte eine Treppe hinunter, die die Kinder nicht zu betreten wagten. Das war Schoppenstechers Reich und er verteidigte es mit Gebrüll und Schlägen: Dass die Dreckbälger auch noch zu mir runterkommen!

Hirbel überlegte lange und das Ergebnis seines Nachdenkens war: Er spannte eine Schnur, die Fräulein Maier ihm geschenkt hatte, zwischen die beiden Treppengeländer. Nicht hoch, damit Herr Schoppenstecher sie nicht sehen konnte und darüber stolpern würde.

Herr Schoppenstecher freilich war schlau. Er sah die Schnur gleich. Er schrie: Das ist ein Anschlag auf mein Leben!, und rannte zur Frau Direktor. Die zog ein ernstes Gesicht, obwohl sie eigentlich Lust hatte zu lachen, denn sie mochte Herrn Schoppenstecher auch nicht. Sie sagte: Diese Sache müssen wir prüfen.

Fräulein Maier erkannte die Schnur, aber sie sagte nichts. Der Hirbel sagte auch eine Weile nichts. Dann ging er, nach dem Essen, der Frau Direktor nach, stellte sich vor sie hin, brachte eine Zeit lang kein Wort heraus und sagte schließlich, Wort für Wort setzend: Frau Direktor – Herr Schoppenstecher – ich war der Anschlag auf sein Leben. Frau Direktor sagte zu ihm: Das ist jetzt schon vorbei. Das behalten wir für uns. Aber du machst so was nicht mehr!

Er gab ihr keine Antwort und verschwand ganz schnell. Das zweite Gefecht gelang dem Hirbel besser.

Herr Schoppenstecher besaß fünf Hühner. Sie hatten einen vergitterten Stall hinterm Heim. Die Hühner weckten am Morgen die Kinder. Da Herr Schoppenstecher den Stall nicht oft putzte – er sagte stets: Ich ersauf noch in der Arbeit –, stank es entsetzlich. Der Hirbel hatte einmal zugesehen, wie Georg ein Huhn hypnotisierte, so sagte es der Georg wenigstens, und Hirbel fand das ›Hypnotisieren‹ sehr erstaunlich. Georg hatte ein Huhn auf den Rücken gelegt und es regte sich nicht mehr. Wenn man Hühner auf den Rücken legt, erstarren sie. Allerdings muss man sie vorher fangen. Das ist nicht so leicht.

Hirbel hatte vor, alle fünf Hühner aus Rache zu ›hypnotisieren‹.

Jeden Freitag fuhr Herr Schoppenstecher mit dem Lieferwagen in die Stadt, um, so sagte Herr Schoppenstecher, die Sach für die Fresssäck zu holen, und fügte hinzu, die fressen uns überhaupt noch die Haare vom Kopf! Solche Kinder sind nichts wert.

An einem Freitag entschloss sich Hirbel zur Tat. Herr Schoppenstecher war weg, Frau Schoppenstecher litt an Asthma und lag im Bett. Die Hühner waren ihr auch gleichgültig. Sie gehörten ihrem Mann.

Hirbel ging in den Stall und fing ein Huhn nach dem anderen, legte es auf den Rücken und am Ende lagen fünf Hühner schön aufgereiht völlig regungslos da. Hirbel hatte sie hypnotisiert. Während er die Hühner fing, hatte er Angst, jemand könnte wegen des Gegackers kommen.

Er hatte Glück. Es kam niemand.

Herrn Schoppenstecher, als er mit dem Lieferwagen zurückkam, fiel nicht gleich auf, was mit seinen Hühnern geschehen war. Er trug die Pakete in den Keller, fluchend, stolpernd, und erst am Nachmittag, als er die Hühner füttern wollte, sah er das Unglück. Er lief durchs Haus, schrie: Man hat sie umgebracht! Alle umgebracht! Und die Kinder, Müller-Maier, die Frau Direktor, der Arzt versammelten sich um ihn, erschreckt, weil sie nicht wussten, wer umgebracht worden ist. Vielleicht Frau Schoppenstecher?

Nun seien Sie einmal ruhig, Herr Schoppenstecher, sagte die Frau Direktor, erzählen Sie, was los ist.

Die Hühner!, rief Herr Schoppenstecher, alle tot. Tränen traten in seine Augen. Die Kinder waren erstaunt darüber, dass Herr Schoppenstecher weinen konnte.

Georg fragte leise: Hat man ihnen denn die Hälse abgeschnitten?

Herr Schoppenstecher fuhr ihn an, war nahe daran, ihm eine runterzuhauen, doch Müller-Maier hoben gemeinsam warnend die Hände, dann sagte er: Nein, sie liegen ganz still da.

Kann ich das mal sehen?, fragte die Direktorin.

Folgen Sie mir!, sagte Herr Schoppenstecher, als redete er in einem Theaterstück.

Georg ging mit und flüsterte auf dem Weg der Direktorin zu: Die sind sicher bloß hypnotisiert.

Was sagst du?, fragte die Direktorin.

Georg erklärte es ihr.

Die Hühner lagen noch immer da. Tot, keuchte Herr Schoppenstecher. Georg trat ruhig in den Stall, hob eines nach dem anderen auf, setzte es hin, die Hühner wackelten hin und her, piepsten ein wenig, richteten sich auf, zuerst der Hahn, und nach einem Augenblick rannten sie wieder herum.

Das ist ungeheuerlich, stellte Herr Schoppenstecher fest, das ist ein Attentat! Und nach einer kurzen Besinnungspause schrie er die Direktorin an: Der Hirbel!

Die Direktorin erklärte ihm, sie könne sich nicht denken, dass der kleine Hirbel das tue, er sei gar nicht in der Lage, die Hühner zu fangen und auf den Rücken zu legen.

Der Saukopf kann alles, sagte Herr Schoppenstecher.

Die Direktorin sagte: Mäßigen Sie sich, Herr Schoppenstecher!

Am Abend kam Fräulein Maier an Hirbels Bett. Sie setzte sich zu ihm, erzählte ihm was und fragte dann nebenbei: Hast du das mit den Hühnern gemacht?

Der Hirbel schwieg.

Fräulein Maier sagte: Ich habe gar nicht gewusst, dass man das tun kann.

Hirbel richtete sich auf, lachte sie an und sagte: Hypnotisieren, gell, das is' toll!

Fräulein Maier stand auf, sagte ihm gute Nacht und ging weg.

Doch noch war Hirbels Kampf gegen Herrn Schoppenstecher nicht zu Ende. Es gab erst einmal eine schlimme Niederlage. Er musste mit zwei oder drei Kindern zu Hause bleiben. Müller-Maier waren weg, auf einem Ausflug. Er sollte untersucht werden, von einem Doktor aus der Stadt. Er hatte wieder schlimme Kopfschmerzen und dazu noch seine ›alten Wutanfälle‹. Selbst die Tabletten halfen nichts mehr. Weil es ihm langweilig war, beschloss er, Herrn Schoppenstecher die Arbeit zu versauen.

Herr Schoppenstecher wollte das Gras mähen. Ehe das Gras gemäht wurde, mussten Kinder Steine aus dem Rasen lesen, weil Herr Schoppenstecher nicht wollte, dass die Mähmaschine dauernd kaputt ist. Herr Schoppenstecher war noch einmal in seine Wohnung gegangen, wahrscheinlich, um Most zu trinken. Hirbel ging aus dem Haus in den Garten, holte sich vom Weg eine Hand voll Kiesel und verteilte sie säuberlich auf dem Rasen. Er merkte nicht, dass Herr Schoppenstecher, der ziemlich schnell getrunken hatte, schon wieder im Garten war und ihm zusah. Als Hirbel fertig war, schoss Herr Schoppenstecher auf ihn zu, packte ihn wortlos, legte ihn über den Holzblock, auf dem er Holz hackte, und schlug mit beiden Händen auf ihn ein.

Der Hirbel schrie nicht, er seufzte nur. Herr Schoppenstecher schlug lange. Dann stieß er ihn vom Holzblock und Hirbel blieb auf dem Boden liegen. Es tat ihm alles weh. Er konnte nicht aufstehen.

Herr Schoppenstecher riss ihn hoch und flüsterte zornig: Wenn du auch nur ein Wort sagst! Aber der Hirbel brach wieder zusammen. Das beunruhigte Herrn Schoppenstecher. Er lief weg, holte einen nassen Lappen und legte ihn Hirbel aufs Gesicht. Er sagte: Du verträgst doch Schläge, du bist doch ein abgeschlagener Hund.

Hirbel ging es wenig besser. Jetzt spielte er den Verletzten. Er stöhnte immer lauter, wälzte sich hin und her und Herr Schoppenstecher geriet in große Angst. Was soll ich bloß machen?, jammerte er. Das war dem Hirbel egal. Jetzt hatte er Herrn Schoppenstecher.

Herr Schoppenstecher hob ihn auf und trug ihn in seine Wohnung. So lernte Hirbel Schoppenstechers Wohnung kennen. Frau Schoppenstecher war nicht da. Er legte Hirbel aufs Sofa. In der Wohnung roch es nach Most. Herr Schoppenstecher roch nach Most. Er beugte sich über ihn, blies ihm seinen Most-Atem ins Gesicht und dem Hirbel wurde übel.

Steh auf, Bub, flehte Herr Schoppenstecher.

Hirbel dachte nicht daran aufzustehen. Er sagte: Wo sind Müller-Maier?

Herr Schoppenstecher stellte fest: Die braucht's jetzt nicht.

Hirbel sagte: Aber die Frau Direktorin.

Da fuhr Herr Schoppenstecher zusammen, er riss den Hirbel hoch und herrschte ihn an: Geh! Du musst doch gehen können!

Hirbel brach gekonnt zusammen. Er hätte nie gedacht, dass er Herrn Schoppenstecher so in der Hand haben würde. Und wie! Hirbel stöhnte großartig. Er begann am ganzen Leib zu zittern, verdrehte die Augen und ließ die Zunge aus dem Mund hängen.

Herr Schoppenstecher fürchtete, der Hirbel könnte ihm unter den Händen wegsterben. Er rannte zum Zimmer hinaus und kam nach einer Weile mit der Direktorin zurück.

Das Kind, sagte er kläglich und wies auf Hirbel, der sich, am Boden liegend, krümmte, winselte und das Weiße seiner Augen sehen ließ.

Ein Anfall?, fragte die Frau Direktor.

Jawohl, sagte Herr Schoppenstecher, ganz richtig, ein Anfall. Ich habe ihn gefunden, den armen Kerl.

Hirbel fürchtete, dass sein Sieg doch nicht so ausfallen würde, wie er wollte, stand mit einem Satz auf, zeigte auf Herrn Schoppenstecher und rief: Geschlagen, geschlagen hat mich der!

Die Direktorin nahm ihn an der Hand, führte ihn hinaus, sagte, der Doktor komme gleich, er solle warten, und ging zu Herrn Schoppenstecher zurück.

Hirbel hörte nicht, was sie ihm sagte, aber er war sicher, dass Herr Schoppenstecher ihn nie mehr verprügeln würde. Das hat er auch nicht mehr getan. Doch jedes Mal, wenn Herr Schoppenstecher den Hirbel sah, knurrte er wie ein gefährlicher Schäferhund.

Hirbel hatte ihn besiegt.

Hirbels Prüfungen

Hirbel ist oft geprüft worden. Meistens waren es Frauen, die sich ihm an einem Tisch gegenübersetzten und ihn ein Spiel machen ließen. Aus dem Spiel konnten sie erkennen, ob der Hirbel klug oder dumm ist, ob er seine Mutter mag, ob er lieber allein ist, ob er gern Freunde hat oder nicht und vieles andere mehr.

Diese Frauen nennt man Psychologinnen. Für Hirbel hießen sie Spielerinnen. Eigentlich mochte er die Spielerinnen, doch eine hatte ihm die Freude an der Sache verdorben. Sie hatte ihn dauernd angeschrien und ihm nicht erlaubt, mitten im Spiel aufzustehen und wegzulaufen. Das tat er, wenn er keine Lust mehr hatte.

Allmählich war der Hirbel so geübt im Spielen und wusste genau, was die Spielerinnen gern hatten, dass sich die Spielerinnen jedes Mal freuten, wie schön sein Spiel aussah. Sie merkten gar nicht, dass der Hirbel nicht spielte, wie er sollte, sondern wie sie wollten.

Erst Fräulein Maier kam ihm auf die Schliche.

Sie ließ ihn spielen. Sie hatte viele kleine Figuren, die er aufstellen sollte. Diese Männchen kannte er schon. Mit großer Geschwindigkeit stellte er sie so auf, dass es für die Spielerin stimmen musste. Fräulein Maier lachte und sagte: Mach das noch mal.

Hirbel tat es und das Spiel sah wieder genauso aus.

Fräulein Maier sagte: Du kannst das ja auswendig.

Hirbel sagte: Das ist toll. Das hab ich gelernt. Gut, gell?

Fräulein Maier holte ein anderes Spiel, das er noch nicht kannte, und bat ihn, ihr mit dem vorzuspielen. Hirbel weigerte sich. Er wusste, dass er sich jetzt verraten könnte. Er stand auf und sagte: Ich muss ganz schnell aufs Klo.

Fräulein Maier sagte: Mach und komm gleich wieder.

Er kam nicht zurück. Er dachte nicht daran, ein anderes Spiel zu spielen. Er wusste, dass Müller-Maier dann etwas herauskriegten, was ihm gefährlich war.

Hirbel entlarvt Edith

Außer Georg mochte keines der Kinder den Hirbel. Sie hatten Angst vor ihm. Er war kränker und böser als sie. Das meinten die anderen Kinder. Das stimmte nicht. Aber selbst Müller-Maier konnten ihnen diese Meinung nicht ausreden. Außerdem war er der Junge, der am meisten Unruhe ins Heim gebracht hatte. Mit ihm bekam man Krach und er lief dauernd weg und man musste ihn suchen.

Vor den Mädchen hatte Hirbel die größte Angst. In einem anderen Heim hatte er ein Mädchen gekannt, das ihn dauernd gequält hatte. Es hatte ihm schreckliche Geschichten von Mördern und Gespenstern erzählt und sie hatte ihm, wenn sie allein waren, immer den Arm schmerzhaft auf den Rücken gedreht. Darum wich er Mädchen aus. Er hatte von seinem zweiten Pflegevater gehört, dass Weiber Teufel seien, und jetzt behauptete er immer, Weiber sind Teufel. Obwohl Müller-Maier zum Beispiel keine waren, auch die Frau Direktor nicht. Das war ihm egal.

Die Edith war einer, da war er sicher. Kam sie nur in seine Nähe, haute er ab. Sie war groß, dick und sah aus wie eine richtige Frau. Sie war zwölf oder dreizehn. Sie schien ihm gemein und gefährlich. Im Schlafsaal der

Mädchen war sie der Häuptling. Wie Georg bei den Jungen. Ihr gehorchten alle.

Wenn es Krach gab mit Hirbel oder wegen ihm, behauptete Edith stets, sie hätte alles schon vorher gewusst. Der Hirbel ist nicht zu retten, schrie sie. Er macht alles durcheinander! Und als die kleine Irene davongelaufen war, die Leute aus dem Heim sie Tag und Nacht gesucht hatten und sie von der Polizei zurückgebracht wurde, lief Edith zu Fräulein Maier und erklärte, der Hirbel habe Irene dazu gebracht. Fräulein Maier hielt das für unwahrscheinlich.

Doch! Doch!, sagte Edith. Ich weiß es. Der Hirbel hat Irene erzählt, wie schön es draußen ist. Auch die Sache mit den Löwen.

Hirbel, von Fräulein Maier zur Rede gestellt, erschrak über die schlimme Nachrede von Edith und bestritt, dass er je mit Irene geredet habe. Das ist alles nicht wahr, stotterte er. Die blöde Sau lügt.

Fräulein Maier wies ihn zurecht. Er solle solche Ausdrücke nicht gebrauchen.

Aber wenn die doch eine blöde Sau ist, sagte Hirbel, und dazu noch lügt.

Nachdem Irene fortgelaufen war, verschwanden zwei weitere Mädchen, mussten gesucht werden, und Herr Winkler vom Jugendamt, der extra kam, behauptete: Hier ist der Wurm drin. Hier stimmt was nicht. Auch er war der Meinung, Hirbel sei an allem schuld. Deshalb nahm Fräulein Maier ihn wieder ins Gebet, horchte ihn aus und drohte ihm, er müsse aus dem Heim weg, der Mann vom Jugendamt habe es befohlen, wenn auch nur noch eine aus dem Mädchenschlafsaal ausreißt.

Und es passierte von neuem. Hirbel wusste sich nicht mehr zu helfen. Sie kreisten ihn ein, sie machten ihm Angst. Und er war doch unschuldig. Er hatte oft Schuld an vielem. Er hatte erst unlängst die Hasen des Nachbarn befreit. Er hatte, als er den Wasserhahn am Waschbecken im Flur reparieren wollte, ihn aus Versehen aus der Wand gebrochen, er hatte der Direktorin Honig auf den Rock geleert – aber daran hatte er keine Schuld.

Hirbel war nicht so dumm, wie die anderen meinten. Wenn Fräulein Maier ihm schon nicht glaubte, musste er sich selber helfen. Das wusste er. Also geschah mit Hirbel eine seltsame Verwandlung. Er befasste sich mit den Mädchen, er wich ihnen nicht mehr aus. Zwar lachten sie ihn aus, wenn er anfing zu stottern, keinen ganzen Satz herausbrachte, doch sie waren entzückt, wenn er ihnen vorsang oder kleine Geschenke machte: lebendige Schnecken, einen Frosch, den er gefangen hatte und in einer Konservenbüchse aufbewahrte, und die schönen bunten Schnüre, die er sammelte. Er verteilte sie scheinbar wahllos, verfolgte jedoch einen Plan. Er wollte die Mädchen aushorchen, denn die konnten nicht so mir nichts, dir nichts, ohne dass jemand ihnen etwas eingeredet hatte, weglaufen. Hier im Heim war es doch gar nicht so übel, meinte Hirbel, obwohl es auch wieder arg war. Er fragte die Mädchen, wer ihnen das erzählt habe von den Löwen, denen er begegnet ist. Das sind meine Löwen, sagte er. Die sieht kein anderer. Die kommen nur zu mir.

Die Mädchen sagten erst nichts. Nach ein paar Tagen hartnäckiger Fragerei erfuhr er, wer ihm seine Löwen weggenommen hatte: Edith. Sie hatte den Mädchen erzählt, dass Hirbels Löwen ganz in der Nähe auf einer Wiese weideten und so zahm seien wie Hunde oder Kanarienvögel. Sie wüssten gar nicht mehr, dass man auch Menschen fressen kann.

Jetzt war es Hirbel klar, dass die Edith ihn hatte hereinlegen wollen. Sie wünschte, dass er aus dem Heim weggeholt werde. Er hasste sie. Sie war eine Hexe.

Aber wie sollte er Fräulein Maier erklären, dass nicht er, sondern Edith die Mädchen aus dem Hause trieb? Er hatte eine Idee. Er ging zu Fräulein Maier und sagte: Ich möchte spielen.

Fräulein Maier sagte: Du spielst doch den ganzen Tag.

Hirbel geriet entsetzlich ins Stottern, brachte kein vernünftiges Wort heraus und endlich brüllte er: Das Spielerinnen-Spiel. Fräulein Maier erklärte: Dazu habe ich jetzt keine Zeit, Hirbel.

Doch, du musst, rief Hirbel, ist wichtig.

Fräulein Maier verschob das Spiel auf den Abend. Nach dem Abendessen, sagte sie, wenn du unbedingt willst.

Ist wichtig, beteuerte er nochmals.

Am Abend holte Fräulein Maier den Hirbel, erklärte ihm jedoch, dass sie sein auswendig gelerntes Spiel schon kenne.

Ist ein anderes, sagte Hirbel. Er setzte sich Fräulein Maier gegenüber an den Tisch, betrachtete alle Figürchen, nahm vier Bausteine und sagte zu Fräulein Maier: Das sind Löwen.

Sie sagte: Wenn du willst.

Er stellte die Löwen an die äußerste Ecke des Tisches und erklärte: Die sind auf der Wiese, beim Schäfer, weißt du?

Ja, ich weiß, sagte Fräulein Maier, das sind deine Löwen.

Meine Löwen!, beteuerte Hirbel zornig. Bloß meine! Nicht der Edith ihre!

Fräulein Maier sagte: Edith kennt deine Löwen gar nicht.

Hirbel begann zu verzweifeln. In der gegenüberliegenden Ecke des Tisches, weit weg von den Löwen, baute er so etwas wie ein Haus, in das er eine Menge Figürchen stellte. Das Heim, sagte er. Wir sind's.

Ja, das ist richtig, versicherte Fräulein Maier.

Hirbel zeigte auf eine große Figur und sagte: Alle Weiber sind Teufel.

Das ist Blödsinn, sagte Fräulein Maier.

Oder nicht alle, sagte Hirbel. Aber die da außen.

Fräulein Maier sagte: Spiel weiter, Hirbel.

Er merkte, dass sie nun genau aufpasste. Er schob ein paar kleine Figürchen auf die größere zu und erklärte: Die da erzählt was.

Was denn?, fragte Fräulein Maier.

Hirbel starrte sie einen Augenblick an und sagte: Jetzt sag ich nichts mehr.

Dann spiel, forderte ihn Fräulein Maier auf.

Er spielte. Die kleinen Figuren drängten sich immer mehr um die größere, dicke. Die ließ er herumhopsen und sein Mund bewegte sich, als würde er wild reden. Dann legten sich fast alle Figuren hin, auch die dicke, nur eine blieb stehen und mit der wanderte er hinüber zu den Löwen. Er stellte das Figürchen zwischen die Löwen und schaute Fräulein Maier erwartungsvoll an. Das habe ich nicht gelernt, sagte er, das ist neu.

Fräulein Maier nickte und sagte: Ich hab dich schon verstanden, Hirbel. Wenn du nicht mehr spielen magst, kannst du jetzt gehen.

Hast du's wirklich gesehen?, fragte er.

Ja, sagte Fräulein Maier.

Sie brachte ihn in den Schlafsaal. Die anderen waren schon in den Betten. Dennoch ging sie zu den Mädchen, holte sich Edith, das hörte der Hirbel noch und freute sich.

Keines der kleinen Mädchen lief mehr fort. Fräulein Maier sagte zu der Direktorin: Der Hirbel ist doch klüger, als wir glaubten.

Hirbel hält die Orgel an

Ein paar Mal musste der Hirbel in der Kirche singen. Mit anderen Kindern und auch allein. Er musste zu den Proben gehen, was er immer wieder vergaß. Dann waren Müller-Maier auf der Suche nach ihm, schrien im Heim herum, voller Verzweiflung, und der Hirbel saß in einem der Schränke im Mädchenschlafsaal. Er sang furchtbar gern, doch er hatte Angst vor den vielen Leuten. Wenn er einmal sang, konnte ihn niemand mehr aufhalten.

Die Choräle und Lieder wurden ihm erst einmal von Fräulein Müller beigebracht. Er lernte schnell. Nicht die Worte, die fielen ihm schwer. Und es kam immer wieder vor, dass er anstatt ›O Haupt voll Blut und Wunden‹ lalala sang. Fräulein Müller war der Meinung, es sei nicht wichtig, dass er sich alles merke.

Herr Kunz war nicht dieser Meinung. Herr Kunz war der Orgelspieler in der Kirche. Er quälte den Hirbel. Nicht, weil er den Hirbel nicht mochte, sondern weil es ihm, wie er beteuerte, um die Musik ging. Um die Kunst!

Dem Hirbel war die Kunst egal. Er wusste gar nicht, was das ist. Und wenn Herr Kunz ihm das zu erklären versuchte, trat der Hirbel auf die Pedale der Orgel, zog Register – das sind die Knöpfe an der Orgel, die den Ton verändern – und brachte Herrn Kunz, der seine Orgel vor jedem fremden Zugriff hütete, in Wut. Er solle gefälligst aufpassen!

Fräulein Müller erklärte ihm, der Hirbel könne gar nicht aufpassen. Dazu sei er nicht fähig. Der Hirbel passe nur dann auf, wenn ihm eine Sache sehr viel Spaß mache. Er sei aber nie lange aufmerksam. Damit müsse Herr Kunz rechnen.

Er lehrte Hirbel, mit Orgelbegleitung zu singen. Das war nicht einfach. Hirbel konnte zwar sehr rasch Melodien begreifen, aber er sah nicht ein, warum die Orgel in der Begleitung anders ›sang‹ als er. Jedes Mal, wenn Herr Kunz und Hirbel zu Beginn übten, hörte Hirbel auf zu singen und sagte: Das stimmt nicht. Herr Kunz holte weit aus, sprach über Komponisten und Kompositionen, über Johann Sebastian Bach – und Hirbel verstand kein Wort. Wieder ging es los und wieder brach Hirbel den Gesang ab. Herr Kunz sagte: Wenn der nicht eine solche Engelsstimme hätte, ich hätte ihn schon längst von der Empore geworfen und aus der Kirche raus.

Sie probten erst allein und dann mit dem Chor.

In der Kirche war es immer ein wenig kalt und Hirbel, der ungern mehr anhatte als Hemd und Hose, schlotterte so, dass seine Stimme beim Singen zitterte. In der Musik nennt man das Vibrato. Herr Kunz sagte: Lass das Vibrato bleiben.

Hirbel hielt das für eine unanständige Sache und sagte: Mit einem Vibrato will ich nichts zu tun haben.

Du tust es aber, rief, an der Orgel sitzend, zornig Herr Kunz.

Hirbel wunderte sich über das, was er nicht tat und nach Meinung von Herrn Kunz doch tat. Er guckte an sich herunter, sah nach, ob das Hemd nicht aus der Hose hing und dies vielleicht ein Vibrato sei. Mit dem Herrn Kunz kam er eben nicht zurecht. Kaum sang er, war schon wieder das Vibrato da. Fräulein Müller begriff endlich, dass Hirbel eine Wolljacke anziehen müsse, damit es kein Vibrato mehr gab. Es hatte also doch etwas mit dem Hemd zu tun.

Die erste Aufführung war an einem Abend und die Kinder, die singen durften, freuten sich darüber, denn so lange blieben sie sonst nie auf. In der Dämmerung zogen sie über die Straße zur Kirche und der Hirbel überlegte, ob er nicht doch noch abhauen sollte. Womöglich schrie ihn Herr Kunz wieder an, dass er das Vibrato tue, und dann musste er sich vor den vielen Leuten schämen. Außerdem hatte er noch immer nicht gelernt, richtig mit der Orgel zu singen, weil die Orgel nicht so klang wie seine Stimme.

Müller-Maier ahnten, was der Hirbel überlegte, und hatten ihn in ihre Mitte genommen. Er war gefangen. Obwohl er die grüne Wolljacke anhatte, zitterte er wieder und es war vorauszusehen, dass sich Herr Kunz über Hirbels Vibrato würde ärgern müssen. Der Hirbel ahnte von alldem nichts. Die Kirche war voll von Leuten, die die Kinder anstarrten. Darum kicherten die Kinder und der Hirbel hatte Lust, die Zunge herauszustrecken. Das wollte er Müller-Maier nicht antun. Nur darum blieb die Zunge im Mund. Er hatte auch wieder arges Kopfweh, obwohl der Doktor ihm am Nachmittag eine ›Extraspritze‹ gegeben hatte.

Sie stellten sich auf der Empore vor der Orgel auf. Erst redete vorn in der Kirche ein Mann ziemlich lange, was Hirbel langweilte, so sehr, dass er sich auf den Boden setzte. Fräulein Müller, die hinter ihm stand, zog ihn wieder hoch. Es dauert nimmer lang, Hirbel, bis du drankommst, sagte sie.

Mit einem Mal rauschte die Orgel los und Hirbel wollte zu singen beginnen, doch Fräulein Müllers Hand fuhr ihm ins Gesicht und hielt ihm den Mund zu. Jetzt noch nicht, flüsterte sie ihm ins Ohr, das ist doch das Vorspiel, Hirbel. Das haben wir dir doch tausendmal gesagt. Hirbel konnte sich nicht daran erinnern. Nach dem Vorspiel sang der Chor und Hirbel sang nach Leibeskräften mit. Dann endlich war er dran. Fräulein Müller flüsterte ihm ins Ohr: Jetzt kommst du! Herr Kunz ließ die Orgel dröhnen, was Hirbel wiederum für falsch hielt, und er entschloss sich, nicht zu singen.

Herr Kunz hörte mit dem Spielen auf, alle Leute schauten nach oben und Herr Kunz begann auf dem Orgelstuhl mit den Armen zu wedeln, den Mund auf- und zuzumachen. Er starrte Hirbel so an, dass er Angst kriegte. Fräulein Müller sagte jetzt sehr laut: Das ist doch deine Begleitung. Du musst mitsingen! Wieder begann Herr Kunz zu spielen. Hirbel versuchte mit einem lang angehaltenen Ton die Begleitung zu erreichen. Er schaffte es nicht. Er fand das Orgelspiel falsch. Das passte nicht zu ihm.

Herr Kunz stand wütend auf. Vorn in der Kirche murmelten die Leute und standen zum Teil auf. Hirbel erwartete, dass Herr Kunz ihn verdreschen würde. Das tat er nicht. Er schüttelte den Kopf, sagte etwas zu Fräulein Müller, was Hirbel nicht hören konnte, und Fräulein Müller befahl ihm zu singen. Jetzt ohne Orgel. Hirbel dachte daran, dass Herr Kunz womöglich wieder das Vibrato an ihm finden würde, und sagte: Lieber nicht. Fräulein Maier sagte: Doch! Alle warten darauf.

So sang Hirbel. Keiner störte ihn mehr, nicht der Herr Kunz und nicht der Chor. Er fand, dass seine Stimme in der Kirche sehr schön klang. Er sang immer lauter und immer sicherer. Viele Sätze hatte er vergessen. Die ersetzte er durch lalala. Als er fertig war, umarmte ihn Fräulein Maier und selbst Herr Kunz kam sofort und streichelte ihm über den Kopf, sagte: Ich möchte bloß wissen, woher du das hast.

Der Hirbel war sehr stolz und sagte: Und das Vibrato war auch nicht da.

Nein, sagte Herr Kunz.

Die Leute in der Kirche unten klatschten. Fräulein Müller schenkte ihm die grüne Jacke, die sie ihm geliehen hatte. Beim nächsten Konzert in der Kirche spielte Herr Kunz, wenn der Hirbel sang, nicht mehr die Orgel.

Hirbel stellt sich krank

Hirbel weiß gut, was krank ist. Er kennt viele Schmerzen. Der Kopf tut ihm oft weh, die Ohren können ihm brausen, er hat manchmal Schwindelanfälle und auch Bauchschmerzen von den Mitteln, die er bekommt. Im Grunde ist er dauernd krank. Das ist ihm egal, solange er herumhüpfen kann und der schmerzende Kopf ihm nicht allzu große Mühe macht.

Einmal hat er solches Kopfweh gehabt, dass er sich nicht anders helfen konnte, als mit dem Kopf gegen die Wand in seinem Zimmer zu rennen. Sein Pflegevater sagte: Der Hirbel ist verrückt geworden. Er begriff nicht, dass Hirbel nur den Schmerz weghaben wollte und keinen Ausweg mehr sah. Denn Hirbel konnte es auch nicht sagen. Da tut's weh!, schrie Hirbel und zeigte immer wieder auf seinen Kopf.

Sein Pflegevater sagte: Ja, ja, der Kopf, das ist mir schon klar.

So konnte keiner den Hirbel verstehen.

Hirbel hatte schon viele Ärzte kennen gelernt. Manche gingen grob mit ihm um, andere waren lieb zu ihm. Er kannte ein böses Wort, vor dem er sich fürchtete. Unheilbar. Zu Fräulein Maier hatte er gesagt: Ich bin gar nicht unheilbar, ich kann doch rennen und spielen. Der Doktor, der jeden Tag ins Heim kam, war besonders lieb zu ihm. Er hieß Karl Kremer und sagte zu ihm: Meine Kinder nennen mich Karolus. So kannst du mich auch rufen. Er erzählte ihm, dass seine Kinder gar nicht seine Kinder seien, sondern Kinder, die im Heim gewesen sind, wie er. Drei habe ich jetzt schon, sagte Karolus.

Hirbel fand das fabelhaft und strengte sich an, weil er hoffte, ein Kind von Karolus zu werden. Aber das war nicht so einfach. Manchmal herrschte Karolus ihn an, erklärte ihm, er solle nicht dauernd dummes Zeug machen, solle sich bemühen, wenigstens mit Fräulein Maier und Fräulein Müller richtig zu reden. Mach's Maul auf, Hirbel, sagte Karolus.

Karolus wollte auch wissen, was Hirbel sich tagsüber ausdenke und wovon er träume. Hirbel erzählte es ihm. Das dauerte immer lange, denn so einfach waren die Worte für die Sachen, die er dachte, nicht zu finden.

Eine Geschichte hatte Karolus besonders gefallen. Hirbel hatte erzählt: Ich bin vom Heim weg. Ich hab mir Brot mitgenommen. Dass ich nicht verhungere. Ich will weit weg. Ich will zu dem Land, wo die Sonne gemacht wird. Da wird sie immer an den Himmel gesteckt. Wenn's hell wird. Ich möcht sehen, wer das macht. Das sind viele Leute. Weil die Sonne schwer ist. Die muss man hochheben. Ob man sich die Finger verbrennt dran, sag? Aber die Sonne geht immer höher. Die Leute schmeißen sie in den Himmel. Sie ist weich und hell.

Karolus erklärte ihm, dass die Sonne weit weg von der Erde sei, viele Millionen Kilometer, ein Stern, ein großer Stern, um den sich die Erde drehte.

Der Hirbel sagte: Die Erde dreht sich nicht. Die Erde hat ein Ende.

Karolus widersprach ihm: Die Erde ist rund, sie ist keine Scheibe.

Das war dem Hirbel zu viel, er brach das Gespräch ab und sagte: Das ist nicht wahr. Dummes Zeug.

›Dummes Zeug‹ sagte er oft. Es war das Lieblingswort seines ersten Pflegevaters gewesen. Für den war alles, was Hirbel gesagt hatte, dummes Zeug. Darauf hatte Hirbel beschlossen, ebenfalls alles, was andere sagten, für dummes Zeug zu halten. Karolus rief ihn stets in ein Zimmer, das für den Doktor eingerichtet war. Dort gab es einen kleinen Tisch, auf dem Spritzen und Tabletten lagen, und ein Waschbecken, an dem sich Karolus fortwährend die Hände wusch. Hirbel kämpfte eifrig um die Aufnahme in die Kinderschar des Doktors. Karolus tat jedoch nichts dergleichen. Er sagte ihm nicht: Komm zu mir nach Hause, du kannst mein Kind sein. Hirbel fragte sich, warum er das nicht tat. Wahrscheinlich hatte er einen Fehler, den der Doktor für arg hielt. Vielleicht würde der Doktor ihn mitnehmen, wenn er richtig krank würde? Also beschloss Hirbel, ungeheuer krank zu werden.

Solche Spiele beherrschte er. In den Krankenhäusern hatte er Kinder kennen gelernt, die konnten Fieber kriegen, wenn sie wollten. Die steckten das Fieberthermometer in warme Milch oder rieben es am Arm, dann hatten sie Fieber. Fieber war noch zu wenig für Karolus. Er musste mehr kriegen, eine tolle Krankheit. Hirbel beschloss, sich nicht mehr bewegen zu können.

An einem Morgen blieb Hirbel im Bett liegen. Fräulein Müller, die die Kinder wecken musste, kam zu ihm und sagte: Hirbel, steh auf. Er rührte sich nicht. Fräulein Müller holte Fräulein Maier, weil die sich besser mit ihm verstand, und Fräulein Maier setzte sich an den Bettrand, sagte leise bittend: Hirbel, du kannst doch aufstehen. Dir ging's doch gestern noch gut. Was ist denn los? Der Hirbel starrte an die Decke, sein Leib war wie aus Holz, die Beine steif, die Arme steif, nichts regte sich in seinem Gesicht.

Fräulein Maier schien es so, als könne er sie gar nicht hören. Sie fragte: Hast du Hunger, Hirbel?

Hirbel rührte sich nicht.

Sie nahm ihm die Decke weg und sah ihn an. Er war so steif, dass sie Angst bekam. Ich werde den Doktor rufen, sagte sie. Karolus kam, redete auf ihn ein. Der Hirbel blieb weiter steif. Karolus tastete ihn ab, mit flinken, leichten Händen, das kitzelte ein bisschen, doch der Hirbel blieb aus Holz. Karolus erklärte Fräulein Maier, solche Fälle kenne er. Das könne lange dauern und es sei besser, man bringe das Kind in eine Klinik.

Als Hirbel hörte, er solle in eine Klinik gebracht werden, durchfuhr ihn der Schreck. Doch er beschloss, so lange zu warten, bis es so weit war. Reglos lag er stundenlang da, die Kinder tobten um ihn herum, er war weg, er war krank.

Am Nachmittag kamen zwei Krankenträger mit einer Bahre. Karolus ging hinter ihnen her, zeigte auf den Hirbel und sagte: Das ist der Patient. Die beiden Männer stellten die Bahre neben das Bett und hoben den Hirbel wie ein Brett auf die Bahre. Das ist unglaublich, sagte Karolus.

Sie hoben die Bahre hoch und trugen ihn schaukelnd aus dem Schlafsaal die Treppe hinunter. Doch als sie das Haustor erreicht hatten, setzte sich der Hirbel mit einem Ruck auf, sprang von der Bahre herunter und lief, wie ein Hase Haken schlagend, davon.

Das habe ich mir doch gedacht, sagte Karolus.

Ein paar Tage später fragte Karolus den Hirbel: Warum bist du denn so krank gewesen?

Der Hirbel gab ihm keine Antwort.

Karolus sagte: Hat dich jemand geärgert?

Der Hirbel nickte.

Wer?, frage Karolus.

Der Hirbel schüttelte den Kopf.

Viel später fragte Hirbel Karolus, nachdem der ihm eine Spritze gegeben hatte: Wie viel Kinder hast du jetzt?

Karolus antwortete: Drei. Noch immer drei. Mehr können wir gar nicht unterbringen in unserem Haus.

Da lief ihm der Hirbel davon. Und Karolus verstand mit einem Mal die Krankheit von Hirbel. Karolus konnte den Hirbel nicht mit nach Hause nehmen, obwohl er ihn sehr gern hatte.

Warum lernt Hirbel nichts oder was lernt er doch?

Du lernst nie was, haben die Pflegeeltern, die Leute in den Kliniken und in den Heimen immer zu Hirbel gesagt. Du bist einfach zu dumm. Das hat ihm erst wehgetan, später hat er sich, weil er die Leute foppen wollte, richtig dumm gestellt. Das war eine Waffe für ihn. Denn so dumm war der Hirbel nicht. Er konnte nur nicht lernen. Sein Kopf war dazu nicht gemacht.

Sobald er sich hinsetzen musste, um zu lesen oder Buchstaben zu schreiben, kam die Unruhe in ihn. Er wetzte mit dem Hintern auf dem Stuhl hin und her, sprang auf, rannte im Zimmer rum und sagte: Das dauert zu lange. Der Hirbel hatte einfach keine Geduld.

In seinem Kopf, von dem man sagte, dass er dumm sei, steckten zu viele Gedanken, Freuden und Ängste drin, die es ihm nicht erlaubten, das zu tun, was die Erwachsenen ›ordentlich lernen‹ nennen. Malen war ihm schon lieber. Nur musste es ganz schnell gehen. Er zeichnete Männchen, Häuser, doch mit Farbe ausmalen wollte er sie nicht mehr. Ein paar Buchstaben hatte er gelernt. Ein paar Wörter konnte er lesen und er konnte seinen Namen schreiben: HIRBEL.

Das war nicht einmal sein richtiger Name. Seinen

richtigen Namen hatte er längst vergessen, er stand in den Akten, die von Heim zu Heim, von Klinik zu Klinik mit ihm wanderten.

Fräulein Maier hatte versucht, mit ihm zu ›arbeiten‹. Sie hatte ihm Bilderbücher vorgelegt, die er nacherzählen sollte. In den Büchern standen auch Wörter, von denen er einige kannte. Wenn er eines fand, das er kannte, sagte er es und freute sich. Doch Fräulein Maier gelang es auch nur, ihm ein einziges Wort mehr beizubringen, das Wort BAUM. Aber dem Hirbel war der Apfelbaum im Garten lieber als das geschriebene Wort Baum.

Die Leute, die von ihm sagten, er sei zu dumm, er lerne nichts, hatten nicht Recht. Er lernte eine Menge. Er lernte, in Heimen zu leben, was nicht leicht ist. Er lernte die Bildertests auswendig, die die Ärzte und Psychologinnen mit ihm machten. Er lernte, Leuten auszuweichen, die ihn nicht mochten. Er lernte, sich gegen Kinder, die ihn angriffen, zu wehren. Er lernte es, Kopfweh zu haben und doch spielen zu können. Er lernte viel.

Singen konnte er schon immer. Das musste er nicht lernen. Aber die Lieder, die er singen musste, waren wieder schwer zu lernen.

Also lernte Hirbel im Grunde nur das, was er brauchte, um halbwegs durchzukommen, nämlich in Heimen und Kliniken zu leben, ohne allzu oft beschimpft oder verprügelt zu werden. Das hatte Hirbel gelernt.

Hirbels letzte Flucht und sein Abschied

Niemand hat den Hirbel dazu gebracht, wieder abzuhauen. Niemand hatte ihn geärgert, keines der Mädchen, nicht einmal Herr Schoppenstecher. Und die Direktorin und Fräulein Maier waren nett zu ihm gewesen. Trotzdem war er fortgelaufen. Sein Kopf hatte sehr wehgetan und er hatte – weshalb, wusste er nicht – eine Weile kaum atmen können. Da dachte er, er müsse sterben.

Als es wieder besser war, erinnerte er sich an die Löwen, von denen die Erwachsenen sagten, es seien nur Schafe gewesen, und er beschloss, für immer wegzugehen. Er wollte die Sonne sehen, die am Rande der Erde festgemacht war und rot glühte, oder den Mond, den ein schwarzer Riese wie eine weiße Münze an den Himmel hielt. Er wollte mit den Löwen hin und her rennen. Vielleicht hatte er auch Sehnsucht nach dem Löwenhüter, der ihn auf den Arm genommen, getragen und gewiegt hatte und dessen Kleider nach Löwen und Luft gerochen hatten. Er hat nie jemandem gesagt, warum er fortgelaufen war.

Er hatte im Schrank gewartet, bis alle Kinder eingeschlafen waren. Dann war er durchs Haus geschlichen – das konnte er gut, das hatte er geübt – und war zum Klofenster im Parterre hinausgeklettert. Am anderen

Morgen, als Fräulein Maier feststellte, dass der Hirbel weg ist, rief die Direktorin die Polizei an. Das Jugendamt und der Fürsorger sagten: Der Junge muss in eine Klinik. Das sagte auch der Doktor. Aber sie hatten den Hirbel noch nicht.

Der Hirbel war in die Richtung gelaufen, in der er die Löwenherde vermutete, hinauf auf die Hügel, in die Felder. In die Wälder hinein ging er nicht, weil er Angst hatte vor ihnen. Durch einen Wald aber musste er hindurch. Das tat er erst, nachdem er an einem Waldrand geschlafen hatte und am Morgen so viel Licht war, dass der Wald ihm keine Furcht mehr machte. Er wanderte auf den Wegen, sammelte Tannenzapfen und Eicheln, stopfte sie in seine Taschen, er sah auch zwei Rehe und einen Hasen und versuchte, ihnen nachzulaufen. Er hörte einen Traktor und versteckte sich hinter einem dicken Baum, bis das Geräusch verklungen war. Jetzt fand er den Wald eigentlich angenehm. Hier würde ihn niemand finden. Nur hatte er Hunger und Durst. Er kaute eine Eichel; doch die schmeckte grässlich und er spuckte sie wieder aus. Er erinnerte sich, dass seine erste Pflegemutter immer Bucheckern gesammelt hatte. Er fand welche. Die meisten waren taub und leer, aber in einigen steckten die nach Öl schmeckenden Kerne. Von denen wurde er freilich nicht satt und der Durst wurde immer größer. Er kam an einen Bach, in dem schwamm eine Menge

Dreck. Er schöpfte mit der Hand Wasser an den Mund. Das Wasser schmeckte nach Benzin und Seife und er spie es wieder aus.

Hinter dem Wald war wieder ein kleiner Hügel, auf dem einige Häuser standen. Er setzte sich an den Waldrand und schaute zu den Häusern hinüber. Eigentlich mochte er Häuser, Wohnungen und Zimmer. Er war gern irgendwo zu Hause und fragte sich, warum die Erwachsenen das nicht zuließen. Aber sie sagten immer zu ihm, er sei bös, dumm und gefährlich. Hirbel fand, dass er das alles nicht sei.

Da der Hunger und der Durst immer größer wurden, stand er auf und schlich an eines der Häuser ran. Im Garten arbeitete eine Frau. Hirbel stellte sich an den Zaun und sah ihr zu.

Die Frau fragte: Wo kommst denn du her?

Der Hirbel sagte nichts.

Ich kenne dich nicht, sagte die Frau, du bist nicht von hier?

Wieder sagte der Hirbel nichts, denn er wusste, dass die Leute dann merkten, dass er der Hirbel war.

Geh doch heim, sagte die Frau. Musst du nicht in die Schule?

Der Hirbel schüttelte den Kopf.

Die Frau kam langsam auf ihn zu. Fehlt dir was?

Der Hirbel schüttelte wieder den Kopf.

Die Frau ging ins Haus und kehrte nach einer Weile zurück.

Hast du Hunger?, fragte die Frau.

Der Hirbel nickte.

Ich bringe dir ein Brot, sagte sie, wandte sich um, wollte gehen, da stotterte der Hirbel: Und – Milch.

Die Frau brachte aus dem Haus Brot und einen Becher Milch und reichte alles über den Zaun. Der Hirbel setzte sich vor den Zaun, aß und trank. Sie unterhielten sich. Nein, sie unterhielten sich nicht. Nur die Frau sprach. Sie erzählte ihm eine Menge, er verstand kaum etwas. Es interessierte ihn auch nicht.

Er hatte gegessen, getrunken, eine Zeit lang dagesessen, da fuhr ein Auto vor, aus dem zwei Polizisten sprangen. Dem Hirbel war klar, dass die Frau ihn verraten hatte. Er sprang auf und rannte wie toll davon. Die Polizisten hinter ihm her. Er konnte schnell rennen. Im Rennen war er immer gut gewesen. Aber die Polizisten waren größer und hatten mehr Atem als er. Noch ehe er den Wald erreichte, hatten sie ihn gepackt, gefangen. Er wehrte sich, biss dem einen Polizisten in die Hand, trat dem anderen in den Bauch, der haute ihm eine runter und dann war der Hirbel still.

Er fing an zu weinen.

Die Polizisten führten ihn zum Auto, der eine setzte sich neben ihn auf den Rücksitz und sie fuhren in die

Stadt. Dort erwarteten ihn der Doktor und der Fürsorger. Die zogen ernste Gesichter. Der Doktor sagte zu ihm: Das ist nicht schlimm. Aber es ist besser, du kommst in eine Klinik, da können sie dich gesund machen.

Der Hirbel warf sich auf den Boden, schrie, heulte, bäumte sich auf. Und der Doktor sagte: Das ist der Schock, er hat einen Anfall.

Er hatte gar keinen Anfall, aber er wollte nicht in die Klinik. Die Frau Direktor kam und brachte seine Kleider, seine Akten. Der Doktor fuhr mit ihm in die Klinik und lieferte ihn dort ab.

Im Heim redeten die anderen Kinder noch eine Weile von Hirbel. Fräulein Maier erfuhr, dass er aus dieser Klinik in eine andere gekommen sei. Sie dachte oft an ihn. Sie hatte ihn gern gehabt. Ganz sicher war sie nach einiger Zeit die Einzige, die sich im Heim an den Hirbel erinnerte. Dann verließ Fräulein Maier das Heim, heiratete und bekam selber Kinder. Wenn sie heute ihren Kindern von Hirbel erzählt, fragt sie sich, was aus ihm geworden ist.

Nachwort
Kinder fragen den Autor

Hat es den Hirbel wirklich gegeben?, fragen die Kinder, denen ich die Geschichte vom Hirbel vorlese.

Ja, es hat den Hirbel gegeben. Aber das ist nicht so wichtig. Wichtig ist, dass ihr von Kindern erfahrt, die so krank sind wie er, die so leben müssen, in Krankenhäusern und Heimen.

War der Hirbel richtig krank?

Was ist das für eine Krankheit?

Wahrscheinlich hatte er zweierlei Krankheiten: Eine, die der Arzt feststellen kann – das Kopfweh, die Krämpfe, die Bauchschmerzen. So sieht eine richtige Krankheit aus. Sie wird auch einen schwierigen Namen haben. Die andere Krankheit können Ärzte nicht heilen: Der Hirbel war krank, weil sich niemand um ihn kümmerte, weil er fast nur in Heimen und Krankenhäusern lebte, weil niemand mit ihm spielte und ihm auch niemand vertraute. Das ist, finde ich, die schlimmere Krankheit. Sie ist unheilbar, wenn nicht jeder hilft, wenn es nicht Menschen gibt, die Kinder wie den Hirbel gern haben.

Aber das Fräulein Maier hat den Hirbel doch gern gehabt!

Wahrscheinlich genügt das nicht. Es müssen mehrere

Leute sein und er muss unter ihnen leben können, normal leben können, dann kann er erst lernen, wie Leben ist.

Können solche Kinder wieder gesund werden?

Nicht oft. Wir alle haben zu wenig Zeit, um uns um sie zu kümmern. Deshalb bleiben sie krank.

Dann müssen eben diese Heime schöner werden.

Das kostet eine Menge Geld. Und für dieses Geld bauen die Leute lieber Straßen, Autos, Flugzeuge, Häuser und sorgen für ihre Bequemlichkeit.

Aber vielleicht braucht es diese Heime gar nicht?

Wer krank ist, muss gepflegt werden. Er braucht Hilfe.

Solche Heime helfen ja nicht nur!

Nein. Man könnte auch anders helfen. Aber das wäre anstrengend. Und viele Leute müssten anders sein, als sie jetzt sind. Sie müssten nachdenken über Kinder wie Hirbel – die man vergisst, weil die Heime sie einem abnehmen. Dann sind sie einfach verschwunden.

Sie sind verrückt und stellen tolle Sachen an.

Vielen Unsinn machen sie nur, weil wir uns gar nicht die Mühe geben, sie zu verstehen. Wir haben keine Geduld. Sie könnten in Kindergärten mitspielen, wenn alle Rücksicht nähmen und sich niemand über sie lustig machte. Es könnte auch Schulen für sie geben. Und Pflegeeltern, die gelernt haben, für solche »Hirbels« Pflegeeltern zu sein.

Peter Härtling

Peter Härtling
Mit Clara sind wir sechs
Roman
Mit Bildern von Peter Knorr
Beltz & Gelberg Taschenbuch (78243), 160 Seiten *ab 10*

Das Haus, in dem die fünf Scheurers wohnen, ist etwas eigenartig. Es ist wie eine Schuhschachtel, behauptet Däd. Aber bei den Scheurers ist immer etwas los. Dafür sorgen schon Philipp und Therese, vor allem aber der kleine Dök. Dem fällt immer etwas ein, da können Mutter Lene und Däd nur noch staunen. So richtig spannend wird es aber, als Clara, das jüngste Scheurer-Kind geboren wird. Eine Familiengeschichte, in der es zugleich heiter, fast lustig und doch ernsthaft und zuweilen höchst dramatisch zugeht – wie im wirklichen Leben auch.

»Ein humorvolles Buch über den fast gewöhnlichen Alltag einer ungewöhnlichen Familie. Härtling gelingt es, auch schwierige Sachverhalte verständlich zu machen.«
ESELSOHR

www.beltz.de
Beltz & Gelberg, Postfach 10 01 54, 69441 Weinheim

Peter Härtling
Oma
Die Geschichte von Kalle, der seine Eltern verliert
und von seiner Großmutter aufgenommen wird
Mit Bildern von Peter Knorr
Beltz & Gelberg Taschenbuch (78101), 108 Seiten *ab 8*

Fünf Jahre alt ist Kalle, als er seine Eltern verliert. Erst kann er es gar nicht begreifen. Seine Oma nimmt ihn zu sich. Da merkt Kalle, dass alles ganz anders ist als früher mit Vater und Mutter. Oma ist prima, aber – alt! Und Oma denkt: Hoffentlich kann ich den Jungen richtig erziehen – in meinem Alter! Sie erzählt Kalle von »damals«, als alles anders war. Sie machen zusammen eine Reise und haben viel Spaß miteinander. Kalle ist zehn, als Oma krank wird. Da zeigt sich, dass auch sie ihn braucht.

Deutscher Jugendbuchpreis
Wilhelmine-Lübke-Preis